d'attire

chance

Autres titres parus :

© Guy Trédaniel Éditeur, 2005

www.tredaniel-courrier.com
tredaniel-courrier@wanadoo.fr

ISBN : 2-84445-622-7

— *Marie BORREL* —

81 façons

d'attirer

la

chance

Petite sagesse de tous les jours / Série Épanouissement

Une collection créée et dirigée par Marie Borrel

Guy Trédaniel Éditeur
19, rue Saint-Séverin
75005 PARIS

INTRODUCTION

On l'appelle destin, chance ou hasard. Certains se contentent de l'attendre, sûrs qu'un regard bienveillant penché au-dessus de leur tête veille à les prévenir du danger ou à leur envoyer les coups de pouce dont ils ont besoin. D'autres la guettent sans jamais la voir pointer de bout de son nez et finissent par nourrir l'idée qu'elle se détourne volontairement d'eux.

Et si ces différences relevaient surtout de leur attitude respective face à l'existence et à ses aléas ? Un exemple : un trottoir des beaux quartiers, encombré par un tas de d'objets hétéroclites. Ce sont les restes d'un déménagement hâtif. Un homme passe et, curieux, s'arrête. Il fouille vaguement dans cet amas et déniche un vase de porcelaine qui lui semble ancien. Il lui plaît. Il l'emporte. Il apprend bientôt qu'il s'agit d'une pièce rare qui vaut une fortune. Un vrai coup de chance ! Pourtant, avant lui, deux autres personnes avaient jeté un œil au même endroit. Le premier était un habitant de l'immeuble qui, gêné par cette présence devant sa porte, était allé directement se plaindre chez le concierge du manque de savoir-vivre des anciens locataires. Le second était un sans abri à la recherche de quelque chose qui pourrait améliorer son quotidien, une couverture ou un vêtement chaud. Un vase n'était pour lui d'aucun intérêt.

Certes, la chance était bien au rendez-vous puisque le vase gisait là, attendant qu'on le remarque. Mais celui qui l'a trouvé a fait preuve à la fois de curiosité, de disponibilité, d'ouverture d'esprit… Comme le disait il y a une dizaine d'années une campagne publicitaire pour le Loto : « 100% des gagnants ont tenté leur chance ». Un slogan qui rejoint le dicton populaire : « qui ne tente rien n'a rien ». Une attitude passive et défaitiste devant la vie n'attire pas la chance.

Cependant, certaines personnes semblent provoquer la guigne. Elles accumulent les catastrophes, apparemment sans y être pour grand' chose. Celui-ci ne connaît que des déboires amoureux, alors que cet autre va de licenciement en licenciement. Comme si l'un et l'autre choisissaient leurs partenaires ou leurs patrons dans le but de se faire éjecter. Ils sont pourtant persuadés de n'être pour rien dans cette accumulation de mauvaise fortune.

De fait, consciemment, ils n'y sont pour rien. Mais c'est une stratégie inconsciente qui les pousse à choisir les mauvaises relations affectives ou professionnelles, en réponse à un schéma névrotique engrammé en eux depuis l'enfance. Derrière cette accumulation de malchance peuvent se cacher, par exemple, une fidélité inconsciente à papa qui n'a pas su réussir sa vie professionnelle, ou une volonté cachée de ne jamais trahir maman, si bonne et si aimante, en prenant femme pour de bon.

C'est pourquoi, devant une accumulation de malchance, il est bon de s'interroger afin de débusquer, au fond de soi, ce qui en est responsable.

J'entends certains malchanceux s'écrier, outrés : «je ne peux pas être, à moi seul, totalement responsable de tout ça ! ». C'est sans doute vrai. Mais c'est sur cette part de responsabilité, et sur elle seule, que l'on peut agir directement. Le reste, si reste il y a, appartient à un autre ordre des choses auquel nous, humbles humains, n'avons pas directement accès.

Nous pouvons pourtant, et c'est le second aspect de notre relation à la chance, ouvrir plus grand les yeux pour mieux la voir passer. Nous pouvons cultiver cet état d'être qui favorise les coups de mains du destin. Nous avons tous vécu de ces situations dont nous avons réalisé, après coup, qu'elles auraient pu être porteuses de chance et de succès si nous avions su attraper à temps ce train qui passait.

Mais nous sommes restés sur le quai, à le regarder s'éloigner. Parfois nous avons même préféré monter dans celui qui arrivait sur l'autre voie, alors qu'il ne nous menait nulle part. Pour monter dans le bon train, il aurait fallu un peu plus d'intuition, de discernement, d'imagination… Parfois aussi un peu plus de courage. La peur de vivre ne fait pas bon ménage avec la chance. L'angoisse du changement nous enferme dans des situations au mieux ennuyeuses, au pire douloureuses, dont nous pourrions sortir si nous savions lâcher nos habitudes pour nous lancer dans l'inconnu. Et c'est souvent là, dans cet inconnu, dans cet avenir brumeux, que se cache notre chance.

Reste un élément fondamental : nous oublions rapidement les éléments positifs de notre vie, nos victoires, nos réussites, nos coups de chance, pour nous concentrer sur nos échecs et nos manques de pot. Untel atteint d'une maladie grave, considère notre santé florissante comme une chance. Tel autre, en proie à de graves difficultés profession-nelles, nous envie la chance que nous avons de jouir d'une situation professionnelle stable, même si elle ne nous satisfait pas. Il ne s'agit pas de s'asseoir sur ce que l'on a, en renon-çant à évoluer. Au contraire : il s'agit de se nourrir de ce que notre quotidien nous apporte pour cultiver en nous cet état d'ou-verture et de confiance qui nous aidera à mieux saisir la chance quand elle passera à portée de notre main.

Encore quelques dictons : « on ne prête qu'aux riches », ou « il vaut mieux faire envie que pitié ». Ils mettent l'accent sur notre état présent : lorsqu'on se sent riche, intérieurement, des aspects positifs de ce que l'on vit, on attire les autres, l'amitié, l'affection, la réussite... La chance, en quelque sorte ! Voici quelques pistes pour vous aider à développer cette richesse intérieure indispensable.

LES OUTILS QUI AIDENT
À ATTIRER LA CHANCE

Je décide de faire
de la chance mon amie.

Une fois pour toutes, cessons de la considérer comme une méchante fée qui nous a oubliés…

Je fais la liste des coups de chance
que j'ai eus dans le passé.

Et il y en a forcément. Il suffit de regarder
attentivement et sincèrement en arrière.

JE ME CONCENTRE
SUR L'INSTANT PRÉSENT.

Pour attirer la chance, il faut d'abord veiller à vivre de manière positive au présent. Il ne sert à rien de toujours regarder en arrière et ressasser les malchances passées. Il ne sert pas à grand'chose non plus de toujours fuir

dans un futur inaccessible dans l'espoir qu'il sera meilleur, comme par magie.

C'est seulement sur l'instant présent que nous pouvons avoir prise. Alors saisissons-le.

Je fais le point
sur ce que je désire vraiment.

La chance, c'est avant tout ce qui nous permet d'obtenir ce que l'on désire. Alors autant être clair là-dessus.

J'accepte de regarder au-delà
de ce que je désire aujourd'hui.

Car le futur recèle peut-être des surprises !
Laissons aller notre imagination…

JE FAIS LE COMPTE DE MES « MALCHANCES » PASSÉES.

Derrière ce que nous considérons comme de la malchance se cachent souvent des stratégies inconscientes, que nous mettons en place sans le vouloir pour remettre en scène des situations d'échec qui ont un sens pour nous.

Pour les débusquer, il faut d'abord les repérer, puis les comprendre afin de mettre un terme aux comportements malhabiles qui nous amènent à la faillite.

Je traque les situations
de malchance qui se répètent.

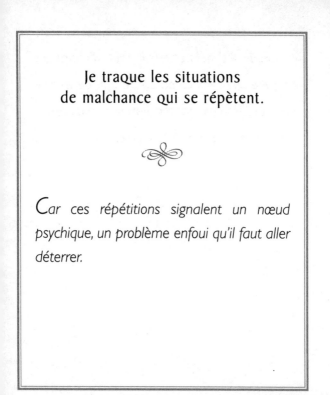

*C*ar ces répétitions signalent un nœud
psychique, un problème enfoui qu'il faut aller
déterrer.

J'essaie de comprendre à quoi
ces situations me renvoient.

*E*lles cachent des blessures d'enfance, des loyautés inutiles, des fidélités inconscientes qui nous empoisonnent la vie bien après qu'elles aient perdu leur utilité.

Je demande conseil
à mes proches.

Parents, fratrie, amis d'enfance… Ils savent peut-être des choses de nous que nous ignorons. En tant que témoins, ils ont un regard qui peut nous éclairer sur notre face cachée.

Si cela n'est pas suffisant,
je demande conseil
à une personne neutre.

*C'est le rôle du thérapeute que de nous
aider sur ce chemin.*

JE DÉCIDE DE DEVENIR ACTIF
FACE À MA CHANCE.

Quelle que soit la conception de la vie à laquelle on adhère, que l'on ait la foi ou pas, que l'on croie ou non à l'existence d'un « ailleurs » qui nous échappe, la passivité n'est pas une bonne solution pour attirer la chance.

C'est en agissant, en faisant bouger le monde autour de soi, en évoluant que l'on attire la chance. Il semble bien qu'elle ne s'intéresse pas à ceux qui ne font rien.

JE FAIS LE POINT SUR LES BÉNÉFICES DE MA SITUATION PRÉSENTE.

Nous oublions trop souvent de prendre en compte la dimension « chance » de notre situation actuelle. Pourtant, nous avons forcément eu des coups de pot, des coups de pouce du destin dont nous bénéficions en ce moment. Mais nous les oublions rapidement

et gardons l'œil fixé sur ce que nous n'avons pas obtenu facilement. C'est une erreur.

Ceux qui se perçoivent comme « chanceux » ont généralement plus de chance que ceux persuadés de ne jamais bénéficier de l'aide de Dame Fortune.

JE ME CONSTRUIS
DES RITUELS DE CHANCE.

La force des rituels, c'est de nous aider à nous concentrer rapidement sur un sujet, quel qu'il soit. Ils parlent immédiatement à notre inconscient, à notre intuition, à notre imaginaire.

Si les rituels n'ont pas forcément le pouvoir d'attirer la chance à tous les coups, ils peuvent au moins nous mettre en situation, intérieurement, de saisir toutes les opportunités qui passent à notre portée.

Je me fabrique des gris-gris.

*O*n connaît le pouvoir du trèfle à quatre feuilles de des médailles pieuses. On peut aussi recueillir dans un sachet la terre du lieu où l'on est né, ou simplement ramasser une fleur dans son jardin. L'essentiel est d'investir ce gri-gri, quel qu'il soit, du pouvoir d'attirer la chance. Ensuite, le fait de le porter sur soi suffit pour qu'on se sente protégé. Aimé des Dieux…

J'invente des prières...

Pour communiquer avec la chance, parlons-lui directement : on met en mots ses désirs, avec un vocabulaire qui nous ressemble, puis l'on répète cette prière aussi souvent que possible.

JE DIALOGUE
AVEC MON ANGE GARDIEN.

Même si l'on ne croit pas à l'existence des anges gardiens, on peut utiliser l'image qu'ils représentent pour dialoguer avec la partie intuitive de notre être. Or, c'est elle qui perçoit les opportunités que notre pensée rationnelle ne repère pas.

Il suffit pour cela d'adresser des messages à cette partie désincarnée de nous-même, puis de s'ouvrir à la réponse que l'on ne manquera pas de recevoir.

JE DÉCIDE D'OSER.

La chance n'est pas une manne céleste qui tombe du ciel sans qu'on ait rien fait pour aller la chercher. Certes, on a parfois l'impression que le sort nous donne un coup de pouce, qu'il met sur notre chemin la bonne personne ou la bonne situation au bon

moment. Mais cela ne peut pas arriver si l'on n'ose jamais rien.

Il ne sert à rien d'attendre du ciel que notre vie change. Mais si nous entreprenons de la changer, alors le ciel peut nous aider.

Je renonce à l'impatience.

Nous voudrions tout, tout de suite. Laissons un peu à la chance le temps d'agir pour nous aider. Faisons-lui confiance.

Je combats le sentiment d'injustice
qui m'envahit lorsque je pense
que je n'ai pas de chance.

La chance n'est pas une récompense pour
nos bonnes actions. C'est une conséquence,
un effet secondaire de notre relation à la vie.
Si nous lui faisons confiance, elle finit par
nous le rendre.

JE METS MON COURAGE
À L'ÉPREUVE.

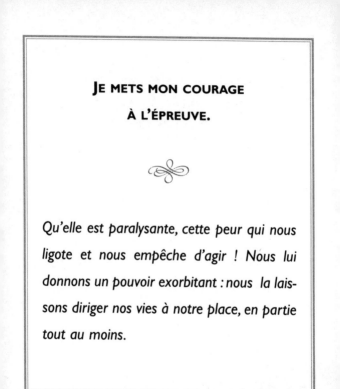

Qu'elle est paralysante, cette peur qui nous ligote et nous empêche d'agir ! Nous lui donnons un pouvoir exorbitant : nous la laissons diriger nos vies à notre place, en partie tout au moins.

Il n'y a rien de tel que le courage pour attirer la chance. Comme l'écrit le psychiatre américain Scott Peck : « le courage n'est pas l'absence de peur, c'est l'action malgré la peur ».

J'essaie d'accepter les changements.

C'est une de nos peurs les plus fondamentales. Pourtant, Dame Fortune a peu de chance de nous toucher de son aile si nous creusons toujours le même étroit sillon. Tout amélioration de notre situation implique des changements. Alors autant les accepter tout de suite.

Je remets en question mes certitudes.

Il ne s'agit pas de ne plus croire en rien, mais de laisser une porte ouverte afin que l'inattendu puisse y entrer. Les certitudes nous poussent parfois à ignorer des surprises qui auraient pu passer pour de la chance si nous leur avions laissé une petite place.

JE SAIS QUE LA VIE EST UNE PRISE DE RISQUE PERMANENTE.

Nous vivons dans un monde où l'assurance règne en reine. On s'assure contre les accidents, le chômage, les cambriolages, mais aussi contre l'usure de nos appareils ménagers ou les problèmes de santé de nos animaux domestiques. Du coup, nous

oublions que la vie est une permanente prise de risque. Essayons de l'assumer ! C'est le meilleur moyen d'écarter un peu le spectre de la peur et… d'attirer la chance. Car, comme dit le proverbe, « elle sourit aux audacieux ».

Je ne résiste plus au flux de la vie.

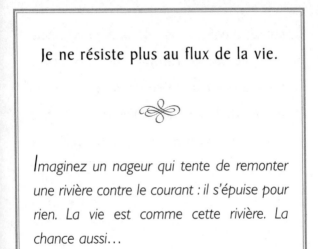

Imaginez un nageur qui tente de remonter une rivière contre le courant : il s'épuise pour rien. La vie est comme cette rivière. La chance aussi…

Je me laisse emporter par le courant.

*Mieux vaut laisser le courant nous guider.
Nous serons mieux à même de le diriger, de
l'influencer, si nous nageons dans son sens.*

COMME LE PRÉCONISE LA PENSÉE CHINOISE, JE « CHEVAUCHE LE MOUVEMENT DE LA VIE ».

L'idée de mouvement est au cœur de la notion chinoise du hasard et du destin. Nous venons au monde avec un bagage : milieu social, caractère, défauts et qualités. C'est le Ming. Muni de cette valise, nous devons nous

fondre dans le mouvement permanent de l'énergie vitale. C'est le Yun. Lorsque le Ming et le Yun sont en harmonie, la chance peut se manifester. On dit alors que l'individu chevauche le mouvement de la vie. Un peu comme notre nageur de tout à l'heure suivait le fil du courant...

JE REFUSE DE CORRESPONDRE AUX IMAGES TOUTES FAITES QUE MES PARENTS ONT COLLÉES SUR MOI.

Nous avons tous entendu, pendant notre enfance, de ces messages qui nous ont enfermés dans des cases : tu es aussi paresseux que ton grand-père ; tu ne sera jamais bon à rien...

Ces paroles définitives, prononcées sur le coup de la colère ou de l'énervement, ont une portée que les parents ne soupçonnent pas. Elles s'instillent en nous et nous finissons pas obéir à ce que nous prenons, tout petits, pour des vérités premières. Elles ferment parfois la porte à la chance.

JE DÉVELOPPE LA CONFIANCE QUE J'AI EN MOI-MÊME.

On peut aider la chance en développant la confiance en soi. Elle nous rend plus sereins, plus sûrs de nos désirs et des chemins que nous empruntons pour les réaliser. La chance peut ainsi se manifester plus facilement, dans des circonstances diverses.

La confiance nous permet de mieux nous connaître et de mieux exploiter notre potentiel. La réussite est plus souvent au rendez-vous.

Je sais que tout peut changer !

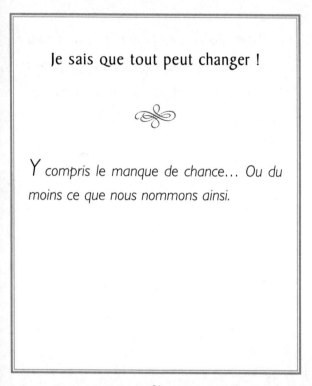

Y compris le manque de chance... Ou du moins ce que nous nommons ainsi.

Je renonce à la culpabilité.

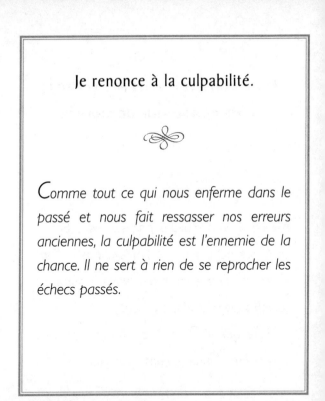

Comme tout ce qui nous enferme dans le passé et nous fait ressasser nos erreurs anciennes, la culpabilité est l'ennemie de la chance. Il ne sert à rien de se reprocher les échecs passés.

JE NE CONSIDÈRE PLUS MES ÉCHECS COMME DU MANQUE DE CHANCE.

Même si nous n'avons pas été aidés par le sort, nos échecs ne se limitent pas à l'absence de Dame Fortune. Nous y sommes toujours pour quelque chose.

Pour que la chance vole à notre secours à l'avenir, commençons par rectifier les erreurs qui nous incombent. Si nous ajustons notre comportement, nous attirerons son attention. Et peut-être s'occupera-t-elle de nous la prochaine fois...

J'analyse mes échecs afin d'en tirer des leçons pour l'avenir.

Comprendre les erreurs, en cerner les causes, c'est indispensable pour les éviter la fois suivante.

J'analyse aussi mes réussites, afin de comprendre comment je m'y suis pris.

Il est tout aussi important de comprendre pourquoi, dans d'autres circonstances, nous avons réussi. Cela nous permet de réunir, à nouveau, les conditions du succès. Notre bonne étoile aura plus de facilité à nous aider.

JE DÉVELOPPE MON INTUITION.

Ce « sixième sens » est fait de sensations diffuses, de perceptions fugaces, d'impressions éphémères… Tout cela échappe à notre pensée consciente. Pourtant, ce sont bel et bien des informations qu'une autre partie de nous a saisies.

Cette intuition nous est fort utile pour courtiser la chance. Car parfois, ce que nous nommons ainsi n'est que notre faculté de prendre la bonne décision au bon moment. Lorsque les raisons de ce choix nous échappent, nous invoquons la chance. C'est peut-être juste de l'intuition…

Je transforme
mes défauts en qualités.

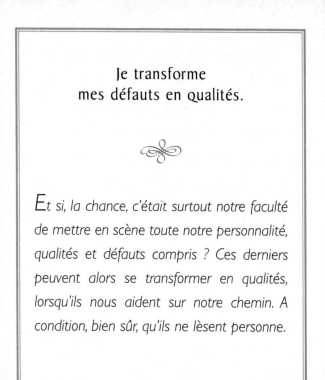

Et si, la chance, c'était surtout notre faculté de mettre en scène toute notre personnalité, qualités et défauts compris ? Ces derniers peuvent alors se transformer en qualités, lorsqu'ils nous aident sur notre chemin. A condition, bien sûr, qu'ils ne lèsent personne.

J'ouvre les yeux
sur ce que la vie m'offre.

❧

Encore et toujours, faisons l'effort de garder présents à l'esprit les cadeaux que la vie nous a faits depuis notre naissance. Cela aide à cultiver la chance.

JE PRATIQUE LES ARTS MARTIAUX.

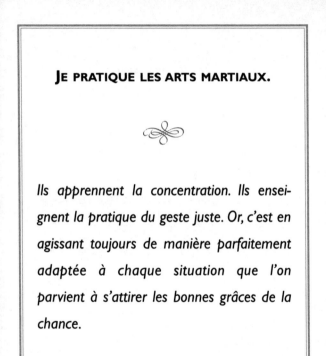

Ils apprennent la concentration. Ils enseignent la pratique du geste juste. Or, c'est en agissant toujours de manière parfaitement adaptée à chaque situation que l'on parvient à s'attirer les bonnes grâces de la chance.

On peut choisir les arts de combat, comme le judo ou le karaté, ou les arts d'équilibre intérieur, comme le Tai chi ou le Qi gong. L'essentiel est de pratiquer avec régularité et sérieux.

JE CULTIVE MES TALENTS.

Nous avons tous des talents cachés. Nous sommes tous des créateurs dans l'âme. Seulement nous n'osons pas laisser s'exprimer notre créativité, car nous avons peur de ne pas être à la hauteur. Nous devrions simplement laisser, dans notre vie déjà bien

remplie par d'autres activités, une petite place à l'expression de nos talents.

Nous pouvons ainsi mettre de la créativité dans les gestes quotidiens : cuisiner, jardiner, coudre, mais aussi peindre, décorer la maison, sculpter la glaise...

Je fais confiance
à ma créativité.

Sans jamais se comparer aux autres, sans jamais penser qu'on n'est pas assez bon pour ça...

Je m'efforce d'enlever les œillères
qui me font regarder toujours dans
la même direction.

Nos habitudes nous rassurent. Elles nous
servent de repères. Mais parfois, elles nous
enferment et nous empêchent de voir passer
la chance.

JE CESSE D'ENVIER
LES AUTRES.

Ils ont eu droit à des traitements de faveur qui nous ont été refusés ? Qu'importe ! L'essentiel est de courtiser sa propre bonne étoile, de mettre toutes les chances de son côté. Mieux vaut y consacrer l'énergie que nous mettons à envier la réussite des autres.

Nous la perdons à coup sûr en nous préoccupant de ce que les autres ont obtenu du ciel.

N'oublions pas que tout change. Même les habitudes de Dame Fortune...

JE NE BRIME PLUS
MA CURIOSITÉ.

La chance se cache parfois là où nous ne l'attendons pas. C'est d'ailleurs le propre du vrai coup de chance que de surgir de l'inconnu. La surprise fait partie du processus. Les êtres qui sont curieux de tout ne laissent rarement échapper les coups de pouce du

destin. Mais lorsqu'on a le nez collé à sa réalité quotidienne, on ne s'aperçoit pas de ce qui passe à côté. Dommage.

Si elle est endormie,
je la réveille.

*T*ous les enfants sont curieux. C'est l'éduca-
tion qui endort cette faculté. Avec un petit
effort, les grands enfants que nous sommes
peuvent la réveiller.

Je développe mes facultés sensorielles.

Nos sens nous renseignent sur le monde et nous disent des choses que nous ne percevons pas consciemment. Ces informations nous aident à aider la chance. Essayons de toucher avec les yeux, de voir avec les doigts, de savourer avec le nez ou de sentir avec les oreilles…

JE FAIS CONFIANCE
À MA PETITE VOIX INTÉRIEURE.

Nous ne l'écoutons pas souvent, car elle ne sait pas nous expliquer de manière rationnelle ce qu'elle nous raconte. Pourtant, cette petite voix peut nous guider sur le chemin de la chance, car elle est en relation avec des informations subtiles que la chance nous

envoie pour nous aider à prendre les bonnes décisions.

Cessons de la faire taire à tout prix. Même si nous ne lui obéissons pas à tous les coups, écoutons-la un peu...

JE RÊVE MA VIE !

Pas comme un songe inaccessible, mais comme un futur possible. Le rêve éveillé est une production de l'imaginaire qui va au-delà de notre capacité à faire des projets réalisables. En imaginant notre futur sous son angle le plus mirifique, nous pouvons mettre au jour des désirs secrets qui sauront peut-être se réaliser un jour, même si c'est d'une manière différente.

Mais attention à ne pas confondre ces rêves avec la réalité. Il est bon de rêver, tant que l'on sait que l'on sait qu'on rêve.

Je me prépare à faire de ce rêve
une réalité.

Après le rêve, on peut essayer d'y repérer ce
qu'il contient de réalisable, et surtout ce qu'il
révèle de nos envies cachées.

Je sais que rien n'est trop beau
ou trop bien pour moi.

Nous méritons ce qu'il y a de mieux ! Alors il n'y a pas de raisons pour que nous ne l'obtenions pas...

JE COMPRENDS QUE LA RÉUSSITE PEUT ÊTRE UNE SOURCE D'ANGOISSE.

L'être humain a besoin de désirer pour vivre. Chez certaines personnes, l'idée de voir les rêves se réaliser s'accompagne d'une angoisse cachée : si c'était le cas, que pourraient-ils désirer d'autre ? Ce serait comme si leur vie s'arrêtait. C'est pour cette raison

que les gagnants du loto ont parfois tendance à dilapider leur fortune miraculeuse, de manière à se retrouver le plus rapidement possible dans la situation initiale, qu'ils connaissent bien et qui les rassure. Voilà qui fait fuir la chance à coup sûr...

Je regarde cette angoisse en face.

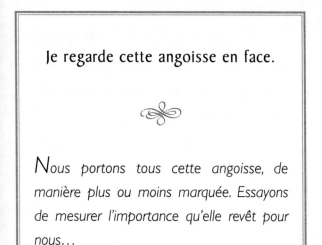

Nous portons tous cette angoisse, de manière plus ou moins marquée. Essayons de mesurer l'importance qu'elle revêt pour nous...

Je me défais de cette peur inutile.

De toutes nos frayeurs, la peur de réussir
est la plus absurde et la plus paralysante.

JE CONSIDÈRE LA CHANCE ET LE HASARD COMME UN ORDRE CACHÉ, UNE AUTRE DIMENSION DE L'ORGANISATION DU MONDE.

La déveine est d'autant plus déprimante qu'on ne peut pas l'expliquer. La chance est d'autant plus effrayante que nous ne

comprenons pas quand et pourquoi elle se manifeste.

Il est plus dynamisant de considérer le hasard comme un processus logique et cohérent, appartenant à une dimension de l'univers qui nous est inaccessible. Il a un sens, même si nous n'y entendons rien.

Je décide de faire confiance
à cet ordre.

Comme on fait confiance à plus grand que
soi. Comme Pascal posait les bases de son
célèbre pari sur l'existence de Dieu.

J'arrête d'attendre !

Le coup de baguette magique du destin viendra peut-être aujourd'hui, peut-être demain, peut-être jamais… Alors agissons. Nous multiplierons ainsi les chances de rencontrer Dame Fortune sur notre chemin.

JE M'INTÉRESSE
AU KARMA.

❧

Dans la conception indienne de la vie et de la mort, la chance n'existe pas. Ce que nous vivons aujourd'hui est le résultat de la manière dont nous avons vécu dans nos vies précédentes. Si nous avons été bons et généreux, si nous avons éprouvé de la compas-

sion pour la douleur des autres, alors nous aurons un « bon karma » dans notre prochaine vie. Mais si nous ne continuons pas, celui d'après pourra s'avérer désastreux.

« L'homme est ce qu'il s'est fait, explique le sage indien Sri Aurobindo, l'homme du passé est le père de celui du présent, et celui-ci est le père de l'homme qui sera ».

JE VOYAGE DANS
MES VIES ANTÉRIEURES.

Certains thérapeutes proposent des techniques proches de l'hypnose qui permettent de régresser dans le temps pour prendre conscience de nos vies antérieures. Les images que l'on rapporte de ces périples sont-elles de vrais souvenirs de vies anté-

rieures ? Difficile de l'affirmer. Mais une chose est sûre : elles sont riches d'enseignement sur nous-mêmes. Elles peuvent, entre autres, nous fournir des explications sur notre vie actuelle et nous aider à mieux comprendre l'attitude de la chance à notre égard.

J'ACCEPTE LE RÉEL
COMME IL EST.

Il n'est d'aucune utilité de s'insurger contre la réalité dans laquelle on vit. Aujourd'hui est ce qu'il est. Nous n'avons pas le pouvoir de changer l'instant présent. Nous pouvons comprendre ce qui nous a amené là, mais ensuite, mieux vaut accepter la réalité et se tourner ver l'avenir.

Car c'est là, dans ces jours à venir, que la chance peut se manifester. Et c'est aujourd'hui, dans nos actes et nos pensées, que nous pouvons faire en sorte de l'attirer.

Je ne considère plus les obstacles
ponctuels comme des
interdictions définitives.

Telle chose ne s'est pas passée comme nous l'avions rêvé ? Et alors ? Cela ne signifie pas que la chance ne nous aidera pas demain…

J'observe les signes
que le destin m'envoie.

Le psychanalyste suisse Jung a travaillé sur la notion de synchronicité : certains hasards sont porteurs de signification, surtout s'ils se répètent. Ils nous disent quelque chose. Ecoutons-les…

JE DEMANDE À LA VIE DE M'APPORTER CE QU'IL Y A DE MEILLEUR POUR MOI.

Ce qu'il y a de meilleur pour nous-mêmes, ce n'est pas forcément ce que nous imaginons aujourd'hui. Nos envies sont parfois colorées par les souffrances qui nous ligotent. Du coup, nous ne savons pas vraiment ce qui nous rendrait vraiment heureux.

Nous pouvons demander à la vie de choisir pour nous, et nous préparer à accueillir ce qu'elle voudra bien nous apporter.

Je fais confiance
à ses choix.

Comme le dit un proverbe : « quand Dieu veut nous punir, il exauce nos prières ». Alors acceptons d'avance que la chance ne les exauce pas...

J'accepte ce qu'elle m'apporte
comme un cadeau.

*Quoi que contienne ce cadeau. Même si, sur
le moment, nous ne comprenons pas grand'
chose à ce présent.*

JE CONSIDÈRE LES DIFFICULTÉS COMME UNE CHANCE : ELLES M'APPRENNENT À ÉVOLUER !

On apprend beaucoup plus des difficultés de la vie, que de ce qui se déroule sans problème. Lorsqu'un obstacle surgit, nous pouvons essayer de le considérer, en soi,

comme une chance que la vie nous offre. Une opportunité de comprendre, de grandir. Cette position possède deux avantages : d'une part, elle laisse toute notre énergie disponible pour comprendre et agir ; d'autre part, elle donne un sens à ce que nous pourrions considérer comme une malchance, un revers du destin.

Je cultive l'enthousiasme.

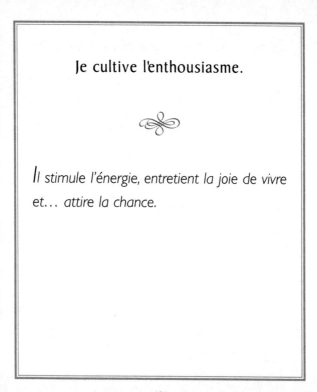

Il stimule l'énergie, entretient la joie de vivre et… attire la chance.

Je refuse la tiédeur.

Le « ni chaud, ni froid » nous englue dans la morosité. Pour que la vie nous aime, aimons-la !

J'APPRENDS À LÂCHER PRISE.

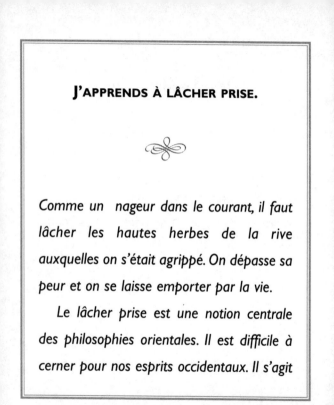

Comme un nageur dans le courant, il faut lâcher les hautes herbes de la rive auxquelles on s'était agrippé. On dépasse sa peur et on se laisse emporter par la vie.

Le lâcher prise est une notion centrale des philosophies orientales. Il est difficile à cerner pour nos esprits occidentaux. Il s'agit de ne pas rester accroché à nos peurs, nos souffrances anciennes, nos rancunes... C'est encore une façon d'attirer le regard de la chance.

J'apprends à méditer.

Pour entrer en contact avec l'autre partie de notre être, celle qui marche à l'intuition et dialogue avec la chance.

Je pratique la pensée positive.

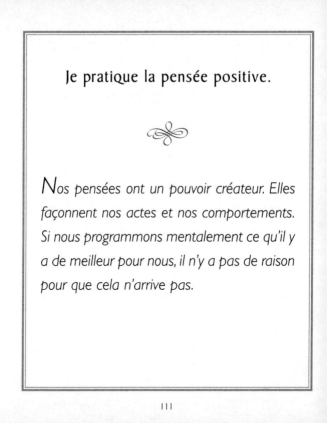

Nos pensées ont un pouvoir créateur. Elles façonnent nos actes et nos comportements. Si nous programmons mentalement ce qu'il y a de meilleur pour nous, il n'y a pas de raison pour que cela n'arrive pas.

Je visualise
ce qui va m'arriver.

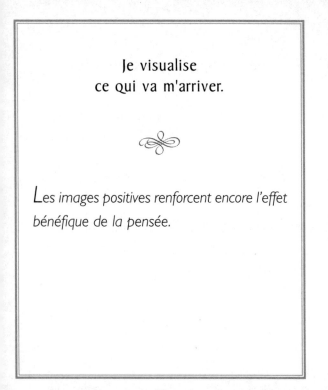

*Les images positives renforcent encore l'effet
bénéfique de la pensée.*

Je sais que la vie
ne me veut pas de mal !

Trop souvent, cette pensée parasite nous perturbe et nous enferme dans l'échec.

JE REFUSE DE ME DIRE
QUE JE N'AI PAS DE CHANCE.

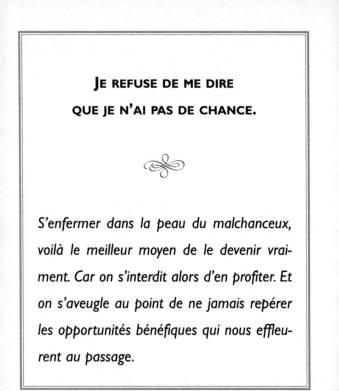

S'enfermer dans la peau du malchanceux, voilà le meilleur moyen de le devenir vraiment. Car on s'interdit alors d'en profiter. Et on s'aveugle au point de ne jamais repérer les opportunités bénéfiques qui nous effleurent au passage.

Personne n'est définitivement malchanceux, de même que personne, malgré les apparences, n'est absolument chanceux. Les uns et les autres ont des relations différentes à la vie, c'est tout.

Lorsque je n'obtiens pas ce que je désire, je m'efforce de regarder ce que j'ai obtenu d'autre, et à quoi je ne m'attendais pas.

C'est un effort qu'il faut faire et refaire sans cesse. Ne serait-ce que pour sortir de l'enfermement précédent.

J'explore tous les plaisirs
que la vie m'offre,
surtout ceux que
je n'avais pas prévus.

Expérimenter les plaisirs que la vie, c'est un moyen de remercier la chance. Expérimenter ceux auxquels on ne s'attendait pas, c'est faire preuve, en plus, de lucidité.

JE SUIS, ET JE RESTE, RESPONSABLE DE MA VIE.

Le magicien de notre enfance n'existe pas. Il ne sert à rien d'attendre que sa baguette magique change notre vie en un clin d'œil. Nous sommes responsables de notre existence.

Il n'est jamais trop tard pour faire le deuil de nos illusions d'enfance. Ceux qui se réfugient derrière l'attente de la chance comme derrière un paravent recherchent une sécurité illusoire. C'est à nous d'agir. La chance vient de surcroît.

Je fais confiance
à mes émotions…

Elles nous disent parfois des choses que notre raison ignore. Elles peuvent ainsi nous parler de notre chance.

... mais je ne les laisse pas
décider à ma place.

Lorsqu'elles sont trop violentes, elles peuvent parfois nous aveugler. Alors écoutons-les, mais avec discernement.

Je réveille l'enfant
endormi au fond
de moi.

L'enfant que nous étions était intuitif, joueur, curieux, enthousiaste. Autant de qualité que la chance apprécie. Nous sommes toujours porteurs de ces qualités, même si elles sont en sommeil. En réveillant notre enfant intérieur, nous les ramènerons à la vie.

Je fais confiance à son savoir,
ses capacités, ses qualités,
son intuition...

Notre enfant intérieur est notre meilleur ami, notre plus fidèle allié. Et il continue à savoir des choses qu'en tant qu'adulte, nous ignorons.

JE NE M'OBSTINE PAS.

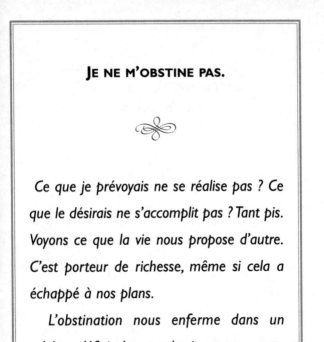

Ce que je prévoyais ne se réalise pas ? Ce que le désirais ne s'accomplit pas ? Tant pis. Voyons ce que la vie nous propose d'autre. C'est porteur de richesse, même si cela a échappé à nos plans.

L'obstination nous enferme dans un schéma défini, alors que la vie est mouvante, *chatoyante. Préférons l'ouverture, l'aventure intérieure, le risque… En un mot, la chance.*

Je reste focalisé seuement sur
ce qui est essentiel pour moi...

*Il ne faut garder en tête que ce qui constitue
notre fil conducteur : nos valeurs fondamentales, nos désirs profonds, nos relations indis-
pensables...*

... mais pour l'obtenir,
j'essaie toutes les façons possibles.

*A*fin de laisser à la chance tout l'espace
dont elle a besoin pour agir !

Achevé d'imprimer sur les presses de
l'Imprimerie France Quercy - Cahors
N° d'impression : 51464E
Dépôt légal : juin 2005

Imprimé en France